Alan

Y DYNION BACH OD

Ymddangosodd fersiwn o'r stori hon mewn casgliad o storïau Mary Vaughan Jones, *Deg Stori,* a gyhoeddwyd gan y Mudiad Ysgolion Meithrin ym 1976. Cydnabyddir yn ddiolchgar gymorth parod Gwennant Gillespie wrth addasu'r fersiwn honno i ffurf llyfr stori-a-llun.

Argraffiad Cymraeg cyntaf: 1986
Ail argraffiad: 1993

Dymuna'r cyhoeddwr gydnabod cymorth Adrannau'r Cyngor Llyfrau Cymraeg.

Argraffwyd gan Argraffwyr Cambrian, Aberystwyth.
Cyhoeddwyd gan Gymdeithas Lyfrau Ceredigion Gyf., Aberystwyth, Dyfed.

ISBN : 0 948930 00 4

Cyhoeddir y gyfrol hon dan gynllun comisiynu'r Cyngor Llyfrau Cymraeg.

Mary Vaughan Jones

Y DYNION BACH OD

Darluniau gan Michel Tarride

Cymdeithas Lyfrau Ceredigion

Roedd y dynion bach od yn byw gyda'i gilydd mewn tŷ ym mhen draw'r lôn.

Bob bore roedden nhw i gyd yn brysur yn y tŷ,
yn glanhau ac yn coginio, yn golchi ac yn smwddio.
M.T

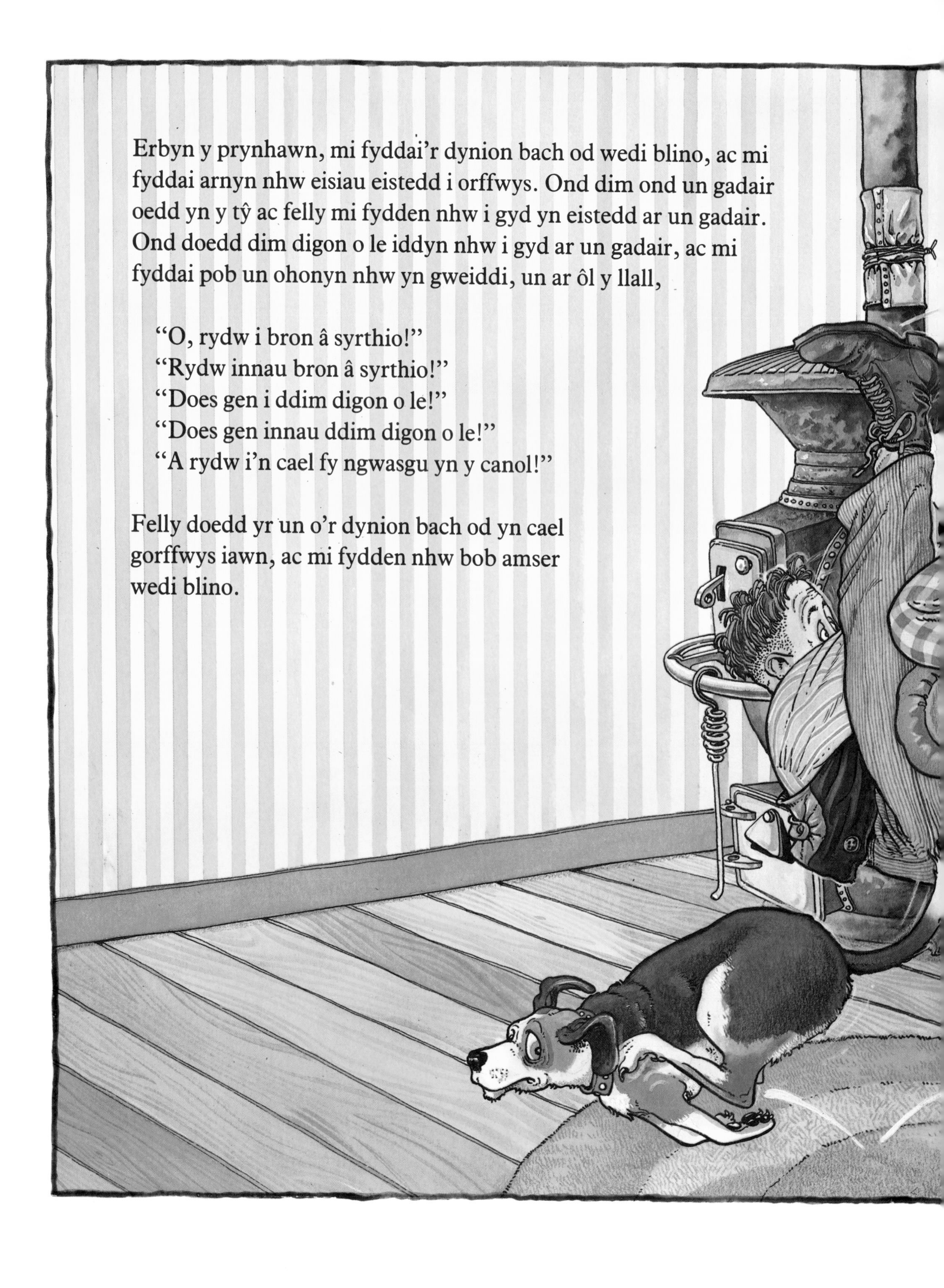

Erbyn y prynhawn, mi fyddai'r dynion bach od wedi blino, ac mi fyddai arnyn nhw eisiau eistedd i orffwys. Ond dim ond un gadair oedd yn y tŷ ac felly mi fydden nhw i gyd yn eistedd ar un gadair. Ond doedd dim digon o le iddyn nhw i gyd ar un gadair, ac mi fyddai pob un ohonyn nhw yn gweiddi, un ar ôl y llall,

"O, rydw i bron â syrthio!"
"Rydw innau bron â syrthio!"
"Does gen i ddim digon o le!"
"Does gen innau ddim digon o le!"
"A rydw i'n cael fy ngwasgu yn y canol!"

Felly doedd yr un o'r dynion bach od yn cael gorffwys iawn, ac mi fydden nhw bob amser wedi blino.

M.T

Am bedwar o'r gloch, mi fyddai'r dynion bach od yn barod am gwpanaid o de. Ond dim ond un cwpan oedd yn y tŷ, felly mi fydden nhw i gyd yn trio yfed o'r un cwpan. Ond doedd dim un ohonyn nhw yn gallu cael diod pan fyddai'r lleill yn gafael yn y cwpan, ac mi fydden nhw'n gweiddi, un ar ôl y llall,

"Dydw i ddim wedi cael diferyn!"
"Na finnau chwaith!"
"Mae 'na de wedi mynd i'm llygaid i!"
"Ac mae 'na beth yn fy ngwallt i!"
"Ac mae 'na dipyn wedi mynd ar fy nghrys i!"

Felly doedd yr un o'r dynion bach od yn cael diod iawn yn y pnawn ac mi fyddai syched arnyn nhw.

Ar ôl te, mi fyddai llawer o waith i'w wneud yn yr ardd. Mi fyddai'r dynion bach od yn gweithio'n galed, yn palu, yn torri'r gwrych, yn hau ac yn chwynnu. Ac erbyn amser gwely mi fydden nhw wedi blino'n lân ac yn barod i fynd i gysgu.

Ond dim ond un gwely oedd yn y tŷ, ac felly mi fydden nhw i gyd yn cysgu yn yr un gwely. Ond doedd dim digon o le iddyn nhw i gyd mewn un gwely, ac mi fydden nhw'n gweiddi,

"Rydw i bron â syrthio o'r gwely!"
"O, rydw innau bron â syrthio!"
"Does gen i ddim digon o le!"
"Does gen innau ddim digon o le chwaith!"
"A rydw i'n cael fy ngwasgu yn y canol!"

Felly doedd yr un o'r dynion bach od yn gallu cysgu'n gysurus, ac roedden nhw wedi blino'n lân.

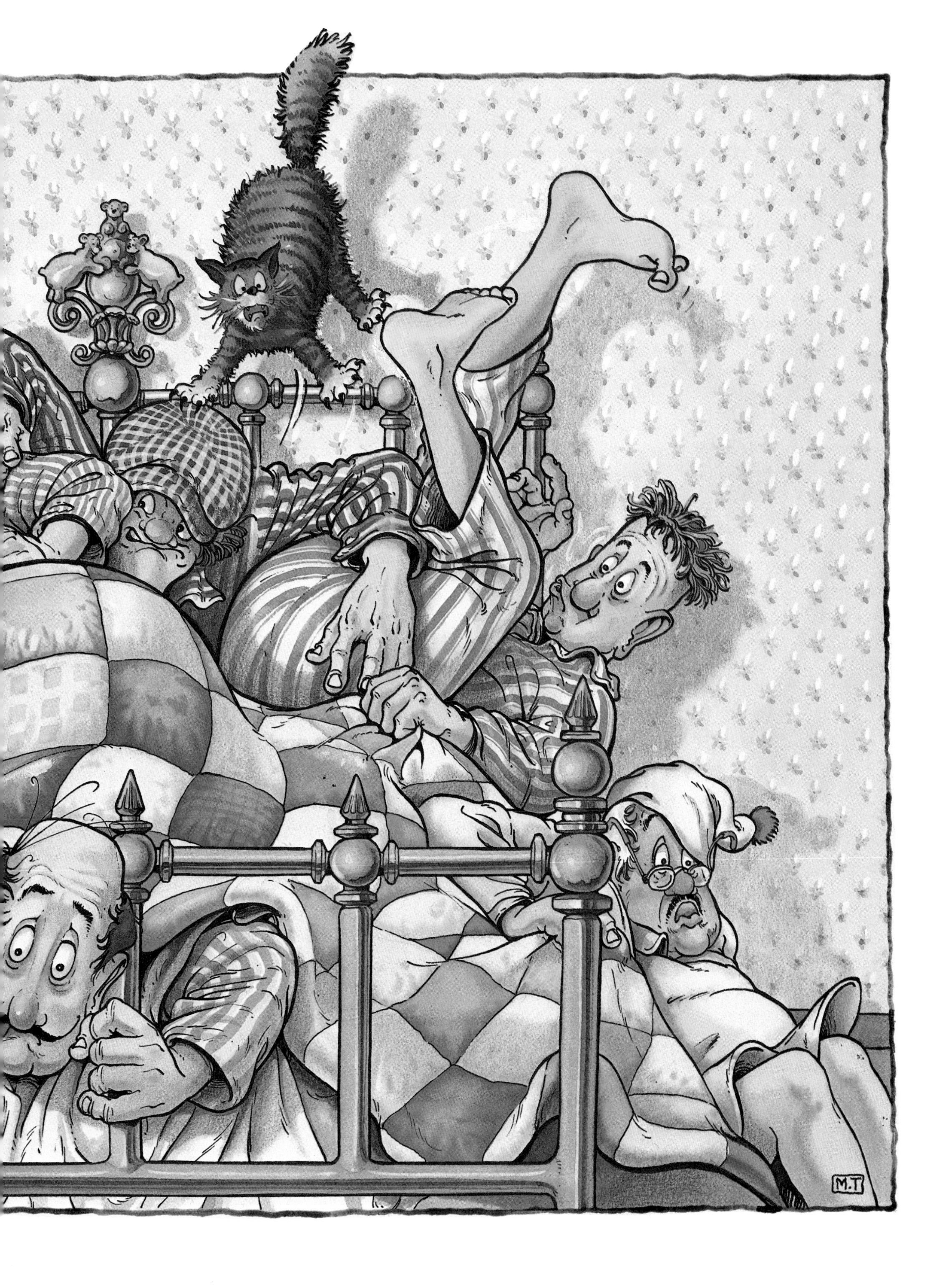
M.T

Weithiau, mi fyddai'r dynion bach od yn mynd am dro ar gefn beic.
Ond dim ond un beic oedd ganddyn nhw, ac mi fydden nhw
i gyd yn trio mynd ar gefn yr un beic.

Ond doedd dim digon o le iddyn nhw i gyd ar gefn yr un beic a chyn iddyn nhw fynd ymhell iawn mi fyddai'r pump wedi syrthio'n bendramwnwgl ar y ffordd.

Wel, pwy ddaeth i'r tŷ ym mhen draw'r lôn ryw ddiwrnod ond y dyn trwsio sosbenni. Nawr, mae'r dyn trwsio sosbenni yn gall iawn ac yn gwybod llawer o bethau.

"Beth sy'n bod arnoch chi?" meddai.

Ac meddai'r dynion bach od, "Dim ond un gadair sydd yn y tŷ, a dydyn ni ddim yn cael gorffwys iawn ar ôl gweithio'n galed."

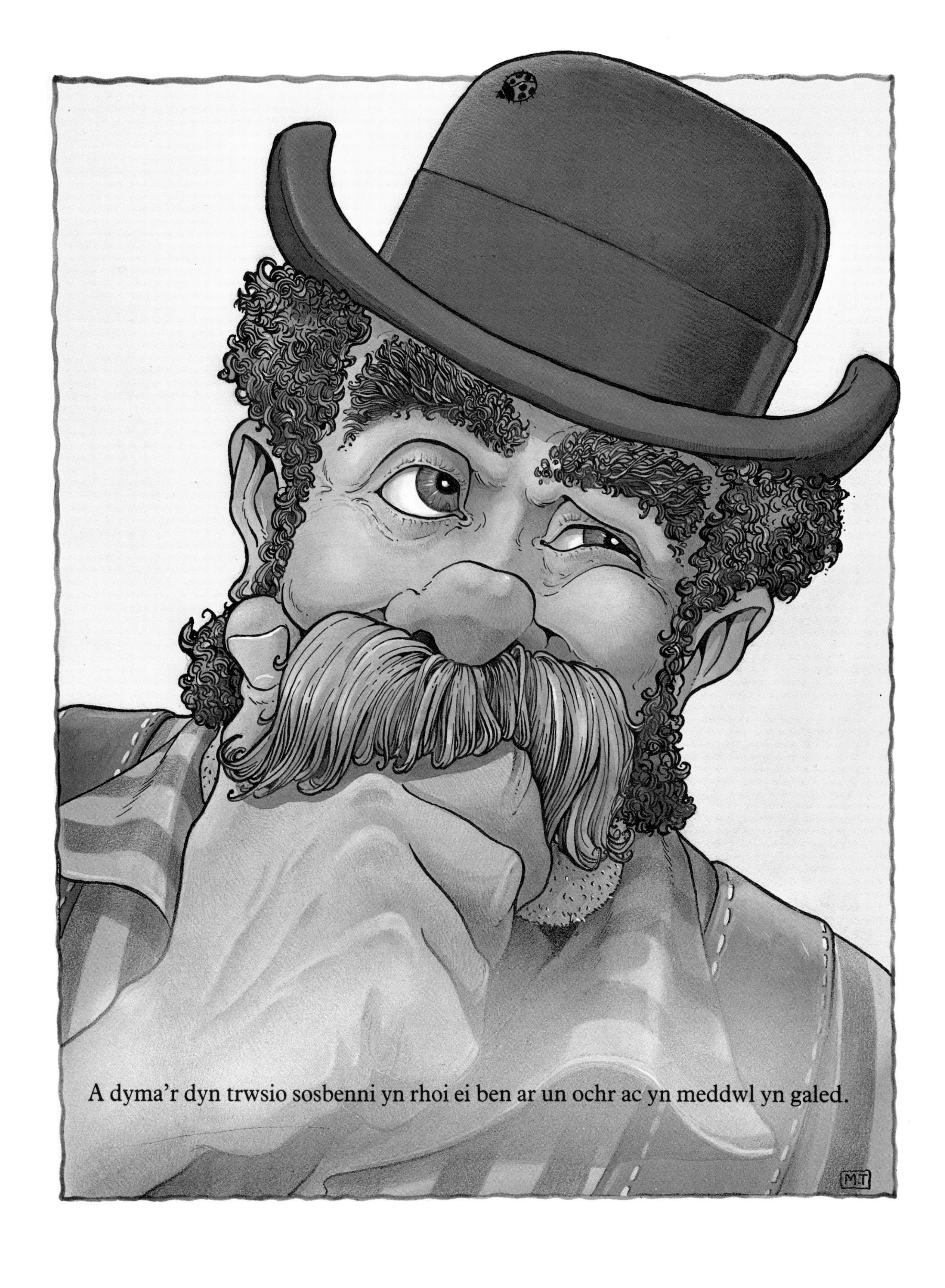

A dyma'r dyn trwsio sosbenni yn rhoi ei ben ar un ochr ac yn meddwl yn galed.

"Ac mae syched arnom ni achos dim ond un cwpan sydd yn y tŷ," meddai'r dynion bach od. "Dydyn ni byth yn cael dim i'w yfed, dim ond cael te yn ein llygaid, te yn ein gwallt, te yn ein trwynau, a the ar ein crysau."

A dyma'r dyn trwsio sosbenni yn cau un llygad ac yn meddwl yn galed.

"A dim ond un gwely sydd yn y tŷ,"
meddai'r dynion bach od,
"a does dim digon o le i bump mewn un gwely,
a dydyn ni ddim yn gallu cysgu."

A dyma'r dyn trwsio sosbenni yn cau'r llygad arall
ac yn meddwl yn galed iawn.

"A dim ond un beic sydd gennym i fynd am dro," meddai'r dynion bach od. "Does dim digon o le i ni i gyd ar yr un beic, a rydym yn syrthio ar bennau'n gilydd byth a hefyd."

Ar ôl amser hir, dyma'r dyn trwsio sosbenni yn codi ei ben, yn agor ei lygaid ac yn dweud,

"Wel, dyna ddynion bach od ydych chi. Rhaid i chi gael pump cadair yn lle un gadair. Mae un, dau, tri, pedwar, pump ohonoch chi, ac felly mae'n rhaid i chi gael un, dwy, tair, pedair, pump cadair. Wedyn fe fydd pob un ohonoch chi'n cael gorffwys iawn yn y pnawn."

M.T

A dyma'r dynion bach od yn edrych ar ei gilydd ac yn dechrau gwenu.

"Ac wedyn rhaid i chi gael pump cwpan yn lle un cwpan," meddai'r dyn trwsio sosbenni. "Mae un, dau, tri, pedwar, pump ohonoch chi, ac felly mae'n rhaid i chi gael un, dau, tri, pedwar, pump cwpan. Wedyn, mi fydd pob un ohonoch chi'n medru cael diod."

A dyma'r dynion bach od yn edrych ar ei gilydd ac yn gwenu'n braf.

"Wedyn, rhaid i chi gael pump gwely yn lle un gwely," meddai'r dyn trwsio sosbenni. "Mae un, dau, tri, pedwar, pump ohonoch chi, ac felly mae'n rhaid i chi gael un, dau, tri, pedwar, pump gwely. Wedyn, mi fydd pob un ohonoch chi'n cael digon o le i gysgu."

A dyma'r dynion bach od yn edrych ar ei gilydd ac yn chwerthin yn hapus.

“Ac wedyn, rhaid i chi gael pump beic yn lle un beic,” meddai’r dyn trwsio sosbenni. “Mae un, dau, tri, pedwar, pump ohonoch chi, ac felly rhaid i chi gael un, dau, tri, pedwar, pump beic. Wedyn, mi fydd pob un ohonoch chi’n cael mynd allan am dro heb syrthio.”

A dyma’r dynion bach od yn edrych ar ei gilydd ac yn chwerthin yn galonnog.

Ac i ffwrdd â nhw i lawr y lôn i ddal y bws i'r dre.

Yn y dre, mi aethon nhw i siop fawr a phrynu pump cadair newydd a phump gwely newydd.

Wedyn dyma nhw'n mynd i siop lestri ac yn prynu pump cwpan.

Ac yn olaf dyma nhw’n mynd i siop feiciau ac yn prynu pump beic.

Wedyn dyma nhw'n mynd adre ar y bws ac roedden nhw'n dal i wenu'n braf.
M.T

A'r diwrnod wedyn, dyma fan fawr yn dod at y tŷ ym mhen draw'r lôn. Ac yn y fan fawr roedd pump cadair, pump gwely, pump beic, a phump cwpan mewn bocs.

Ac mi aeth dyn y fan â'r hen gadair, yr hen gwpan, yr hen wely, a'r hen feic i ffwrdd yn y fan.

A byth ers hynny, mae'r dynion bach od yn byw yn hapus iawn yn y tŷ ym mhen draw'r lôn.

Alan
Sean
dad
mam
tAbl
rah
ten
citch

OO dan

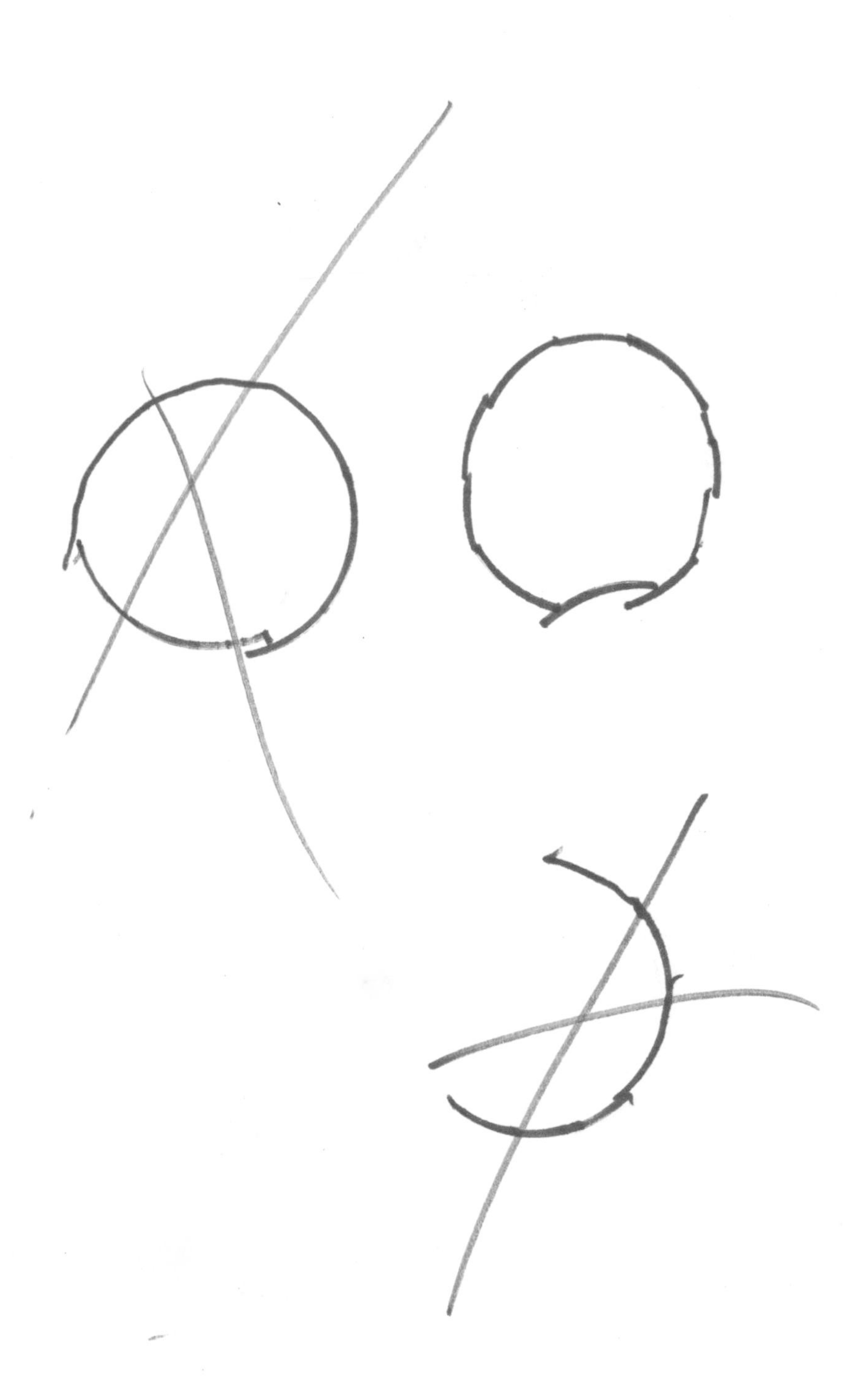